KB096323

사유의 시간

ModernBooks

사유의 시간

발 행 | 2023년 11월 30일
지 원 | 중앙대학교 캠퍼스타운
저 자 | 김자영, 김혜미, 서은숙, 유탈, 이해영, 지유민, 차선, 한세희, 허민, 한연회
펴낸이 | 박강산
펴낸곳 | 모던북스
출판사등록 | 2022.10.27.(제2022-144호)
주 소 | 서울특별시 동작구 현충로 220
연락처 | 010-4412-4309

ISBN | 979-11-93445-07-5

https://modernbooks.co.kr

들어가며

　『사유의 시간』은 중앙대학교 캠퍼스타운에서 시 창작을 매개로 소통해 온 재능과 통찰력을 갖춘 신인 시인들의 작품으로 이루어져 있습니다.

　누구나 같지만, 또 한편 누구나 같을 수 없는 일상을 표현한 (「모순생활」), 아주 짧은 순간의 소중함을 기록한 (「5분 사용처」), 현대 사회 속 개인적 생각들이 틀린 것이 아니라 서로가 다르다는 사실을 솔직한 언어로 표현한 (「이몽1,2」), 결국은 모두 일상-사유-기록의 영원회귀들 중 일부들에 지나지 않는다는 걸 시적으로 표현한 (「정의의 침묵」), 같은 관계를 서로 다른 입장에서 바라보는 (「부드러운 벽」), 정해진 운명에서 벗어나고 싶었던 사람의 외침을 담아낸 (「손금」), 일상에서 마주한 알맹이 같은 순간들을 씨앗으로 삼아 새싹이 피어오르는 이야기로 담아낸 (「새싹 키우기」)를 비롯해 총 46편의 시가 수록되었습니다.

　매 순간 변화하는 현대시의 풍경 속에서, 저마다 독특한 관점과 예술적 재능을 지닌 신선한 목소리들이 들립니다. 작가 고유의 사유를 이미지화하여 독자들을 매료시키는 46편의 시를 탐독하는 시간을 가져보세요.

차   례

사유의 시간

ModernBooks

김
자
영

사람들의 삶은 모두 비슷하면서 다릅니다. 각자 상황이 다르기도 하고 같은 상황에서 느끼는 감정이 다르기도 합니다.

저는 어떻게 살고 있었을까요? 시를 쓰려고 하니 자연스럽게 제가 살아온 시간들을 되돌려보는 과정이 필요했습니다.

그리고 그것을 어떻게 표현할 수 있을까 고민하다 보니 이 짧은 시들을 완성하기까지 조그만 사물부터 일상의 기억 그리고 당시의 감정까지 무심코 스쳐 지나가지 않기 위해 집중하는 아주 긴 열흘을 보냈습니다.

성인이 되고 나서 처음으로 배움을 목적으로 시를 접하고 마무리하기까지 도와주신 모든 분들께 감사를 전합니다.

여기에 수록된 시를 읽는 모든 이들에게 소소한 행복이 함께하기 바랍니다.

모순생활

집을 나선다.
집에 가고 싶다.

인사를 한다.
반갑지 않다.

메모를 한다.
기억이 없다.

정리정돈을 한다.
티가 안 난다.

식사를 마친다.
더 먹을 수 있다.

못 본 척한다.
다 봤다.

똑 부러지는 나

오랜만에 친구가 얼굴 좀 보자고 했다. 반가운 마음에 다이어리를 꺼내 일정을 확인했다. 콜록콜록 지금은 독감이란다. 나으면 연락하라고 했다. 다시 연락이 왔다. 다음 주에 여행을 가게 되었고. 누구랑 가냐고 물었더니 나라고 했다. 응?

또 다른 친구한테 잘 지내고 있냐고 연락이 왔다. 만나기로 했다. 카페에서 두꺼운 책을 펼치더니 500만 원짜리 미용기기를 추천해 줬다. 뭐라고?

겨울이 왔어요

울렁울렁 길거리나 지하철이나 밥집이나 겨울향이 그득하다. 전에는 나도 겨울향에 설레었다. 맛있기로 소문난 족발집에서 아주 진한 겨울향을 맡던 그 날부터 멀미를 하기 시작했다. 새콤한 쟁반국수가 아니었다면 다시는 그 가게에 발도 딛지 못할 실수를 저지를 뻔했다. 유행이 빨리 지나가면 좋겠다.

초승달

청량한 밤 버스 창 밖으로 둥글고 시린 초승달이 보입니다. 한 움큼 베어진 게 속속 마음이 쓰입니다. 보름이 지나면 또 여물어 아물겠지요. 제 마음의 보름은 얼마일까요. 아무는 데는 오래였어도 베이는 건 금방일 겁니다.

단심

물동이 메고 노을 지도록 산을 오른다. 들개 짖는 소리에 발이
빠지고 마른 지푸라기에 헛손질을 한다. 너를 향해 놓았던 발자국
이 모여 겨우 닿는다. 더 할 것 없다 이제 되었다 했다. 해도 해도
너무한다. 아득한 골짜기 봉우리가 또 어디서 났는지 모르겠다. 진
달래주 함께하자던 기약을 그리며 다시 해진 몸을 일으킨다.

김
혜
미

    일상 생활 이야기를 편하게 써 보고 싶었습니다. 그러다 보니 자연스레 주변을 관찰하고, 제 삶을 돌아보는 시간을 갖게 되었습니다.

    "오늘 겪은 이 일을 에피소드로 만들어서 글을 쓸 수 있을까?" 라는 생각을 자주하게 되었습니다. 단지 글을 쓰려고 한 것 뿐인데, 글을 쓰는 동안 특별해진 하루들이 되었습니다.

5분 사용처

회사에선
찌뿌둥한 몸을 깨울 기지개를 켜거나
혼란 속 정지 상태로 멍하니 밖을 볼 수 있다

밖에선
집에 가기 위해 너끈히 버스를 기다릴 수 있고
사람들 손에 들린 물건을 구경하며 계산대 줄을 기다릴 수 있다

집에선
물을 갈아주다 옅어진 꽃잎을 보거나
생각을 정리하며 귤을 먹을 수 있다

여전히

귤 수박 라떼 초콜릿
크리스마스 눈

어릴 때 좋아하던 것을
여전히 좋아할 때
큰다는 게 궁금하다

어떻게 커야 하나
이렇게 크는 게 맞는 건가
어른은 뭐가 어른일까

냉장고에 귤이 생각났다

마음을 담아

진심으로
고맙습니다
감사합니다

마음을 표현한다는 건
쉬운 듯 어렵다

솔직하게 말하면
내가 벗겨진 기분이 들고

덜어내서 말하면
전달이 덜 돼서 부족하고

내가 뭐라고 말했으면 좋겠는지
알려줬으면 싶다

보관

아까워서 어떻게 쓰지
넣어놔야겠다

나중에 안 팔 수 있으니까
쓰지 말아야겠다

그렇게 모은 물건들이 큰 상자로 세 개
한 해 두 해 지나면서 상자에 뭐가 있는지도 모르게 됐다

이제는 쓸 때다 싶어 열어보면
보물 상자를 찾은 것 마냥 재미있다

아프지 말기

잠시 열어둔 창문으로
모기가 들어왔다

모기를 잡다
새끼발가락이 의자에 부딪혔는데
자고 일어나니 엄지발가락이 두 개가 됐다
의사 선생님 안녕하세요
제가요

환절기라 잘 챙겨 입었는데
자고 일어나니 몸이 욱신거린다
또 다른 의사 선생님 안녕하세요
그러니깐 제가

그렇게 늘어난 약이
하나 둘 셋

살찌기 쉽듯
아프기도 쉬운 것 같다

서
은
숙

아름다운 언어만이 시가 된다고 생각한 적이 있습니다. 그러나 우리의 삶에는 소박한 단어도 때론 미운 언어도 시가 되는 멋진 세상이었습니다. 마음을 나누고 위로하며 살아갈 수 있는 건 고운 말도 사나운 말도 함께 하면 중화 되어 더 멋진 언어가 된다는 사실이 저를 가슴 뛰게 하고 흥분시킵니다. 시 언어에는 힘이 있습니다. 시가 가지는 함축적 은유로 세상에 소리를 냅니다.

전하고자 하는 말을 조용히 조리 있게 시어로 이야기 합니다. 그래서 저는 사람의 온기를 나누며, 소박하지만 조용히 힘을 가진 글을 쓰고 싶습니다.

<이몽1,2>는 서로 다른 두 사람이 만나 겪게 되는 성장에 관한 이야기를 시로 적어 보았습니다.

성장 배경이 다른 두 사람이 만나 사랑하고 미워하고 그리고 서로의 자아가 성장하는 시입니다.

이몽1,2에는 저의 두 마음이 존재하고 있었습니다. 그리고 시를 쓰면서 마음에 치유가 되었습니다. 두 사람 모두 제 안에 있는 존재였습니다. 관계에서 보여지는 두 존재는 틀린 것이 아니라 서로

성향이 다른 것이라는 사실에 관해 말하고 싶어 이 시를 쓰게 되었습니다.

<결핍>이라는 시는 성장의 원동력이 되는 작은 결핍이 자신을 크게 혹은 작게 변화하게 만드는 촉매와 같은 역할을 한다는 생각에서 출발하여 쓰게 되었습니다. 살아오는 동안 느낀 열등감 같은 결핍이 나쁜 성장이 아닌 더딘 걸음이었어도 지금의 나를 만들어주는 작은 원동력이라는 의미로 써보았습니다. 결핍이 큰 발 돋음이 되거나 혹은 작은 몸부림이 될지라도 성장하며 살아가는 힘이라는 생각이 들었습니다.

<정해진 날>은 죽음으로 이르는 시간을 여러 각도에서 생각해 보았습니다.
누구에게나 정해진 시간을 가지고 죽음에 이르는 모습을 표현해 보았습니다. 깊이가 있는 주제이기는 하지만 좀 더 가볍게 접근해 보았습니다.

<카톡 프로필>은 대부분의 사람들은 자신의 일상의 모습을 프사를 통해 보여 주기를 원합니다. 그런 마음이 기록하고 저장하게 합니다. 그 공간이 사진 속 앨범이 아닌 카톡 프로필에 업로드하여 남에게 자신의 현재의 모습을 보여주기도 하고 지난날 자신의 일상의 사진을 보관하는 의미로 쓰여지고 있음을 나타내어 보았습니다.

이몽 1

너는 참으로 빛났다.
눈이 부시게...그리고 화려하고 당당하게 내 앞에 나섰다.
찬란한 빛도 냉철한 언사도 나에게는 칼날임을 알지 못했다.

나는 너의 칼끝에 찔려 피를 흘리면서도 선명한 선홍색 피색에 현혹되어 있었다.
아픔보다는 짜릿한 너의 독설에 똑똑함에 피를 흘리고 있음을 인지 못한채 거의
선홍색 피가 온몸을 흥건히 적시고 나서야 칼날의 섬뜩함이 명료함이 멋진 언어들이
독이 든 창칼이었음을 알게 되었다.

지키지 못 한채 여기 저기 끌려 다니는 초라한 나의 모습이 안쓰럽다기 보다
깨닫지 못한 나약한 비굴함을 시간이 흘러 알았을때, 오히려 너의 칼날 언어가
단오한 너의 행위가 오히려 나 스스로를 일으키는 자극이 되었다.

새삼 느끼게 되는 세상의 이치, 관계에 대한 나의 무지
너의 독설은 또는 냉정한 행동은 지나고 보니 독이 아니었구나...
그래서 나는 스스로 홀로 설 수가 있었구나.

이몽 2

처음에 순수해 보였다.

그냥 이유 없이 어쩌면 계산하고 이익에 눈먼 이들보다 단순해서 좋았다.

너의 순수함에 착함에 중독되어 배려를 배우고 이해라는 단어를 생각하게 되었다.

세상없이 화려하고 솔직한 독설은 나의 무기였으나

무기인 칼날 언어는 너의 선함에, 배려에 무디어져 가고 있었다.

시간이 흐를수록 착함이, 답답함으로, 집착이 탈출을 꿈꾸게 되었다.

내 심장이 뛰고 당황하고 있을 때 나는 뒷걸음 치고 있었다.

배려 이해 착함은 나의 성향이 아니었다.

칼 단발 같은 언어가 매력이라 스스로 자위하며 당당했던

순막히게 착한 이들과 배려라는 단어를 경시했던 나였기에

뒷 걸을 치면서도 나를 지키고 싶었다.

나의 본성을 바꾸면서 까지 나는 너에게 반하지는 않았으나

내안의 균열을 몸스러치게 느낀다.

결핍

잘나고 싶은 소망은 늘 있었다.
죽을만큼 간절하지 않았을 뿐.
뒤 쳐지지 않을 만큼 성장했다.
기죽지 않을 만큼만.
그때 최선을 다했다 자위했다.
태산이 높다 하되 하늘 아래 산일뿐
못 오를 리 없건마는
한번 오르고 두 번만 올랐다.

최고가 아닌 것에 실망하고 잘나고
멋짐에, 열등감이 피어오를 때마다
좌절하고, 속으로 거만함이 생길 때
마다 상대적으로 비참했다.
과하지도 모자라지도 않은 어중간한
오기가 나를 여기에 머물게 한다.

헉헉거리며 쪼그라드는 작은 마음은
늘 여기저기 방황하게 만든다.

정해진 날

째깍째깍 시간이 흘러간다.
어디쯤에서 멈추어질까?

모두 같은 시계를 차고
이길 저 길을 걸어간다.

처음부터 멈추어 버린
중간 어디쯤에서 멈추어진 시간

끝이 없는 듯 흘러가는, 그러나
반드시 한곳에서 멈추는 시간

누구도 정하지 못한, 하늘이 정한
그래서 운명이라 부르는 시간

카톡 프로필

여기 저기 셔터를 누른다.
무엇을 먹었는지
무엇을 했는지
자꾸만 기록을 남긴다.

의미없이...無無無

예쁜꽃도 사람도 사물도
모든 것에 셔터를 누른다.
사진을 업로드 한다.
드러내고 싶은 충동이
지금 잘나가고 있다는
성공적임을 암시하며
자꾸만 사진을 바꾼다.

의미없이...無無無

관심이 없음을 알면서도
누군가가 볼지도 모른다는
긴장감과 설렘을 가지고

일상을 업로드를 한다.
그져 언젠가 지워버릴지도
모를 지난 삶의 한순간을

의미없이...無無無

유

탈

    그렇게까지 특별한 것들은 없을 거라 생각합니다. 지금 이 시대를 사는 사람들이라면 저마다 제가 지닌 질문들에 대한 답변은 지닌 채로 살아왔으리라 생각하니까요. 그럼에도 보고 싶었습니다. 저만의 답이 무엇인지, 그럼에도 이런 의문들을 지닌 채로 살아가는 이유는 무엇인지 같은 것들을.

정의의 침묵

우리는 칼을 들고 있었다
주인도 강도도 생김새도
상태도 용도도 잊은 채로

위치는 아무래도 좋았을까
무의미에도 의미가 있었을까
위기감은 빠질 차례인지도 모른다

그 날 이래로, 판사봉 한 자루는
눈마저도 나체가 아닌 어느 여신에게
니힐리즘을 못 박듯 내리치기 시작해

손이 방향과 칼의 존재를 잊은 걸까
여신이 우리의 판사봉을 잊은 걸까
그 또한 위기감과 동행할 시간일까

그럼에도 존재하기만 할 뿐인
정의는 더 이상 정의하지 않는다는
말

거미의 눈으로

그것이 나이 탓이라는 말은
아버지의 18번이었다

시에 살아서 그런 거라고
날개를 팔과 바꿨기 때문이라고
다독이다 담배를 피며 오줌을 눈다

천장에 슨 검은색에 기생했을 에쎄나
레종이나 혹이 기하급수적으로 늘어난
카멜 몇 개비만을 알았을 거미 알집

저들이 기생하는 것들을 뭐라고 볼지
안다면 전생이나 지금이나 거미라는
노란, 생각 찌끼를 침을 내리듯 내릴 때였다

알집은 폭– 폭– 소리를 알고 있는지
찌끼가 만든 거품은 알집을 알고 있었는지
서로 위아래를 보면서 외치고 있었다

우리는 걷어내려고 있는 게 아니라고

경화(硬化)

부제: 친구라는 이름으로

함함한 우의가 떠난 자리에는
맺힘만이 매미처럼 붙곤 했다

허물 없는 그 자체로 붙었음에도
떨어질 생각이 없이, 소리하여
우의를 팔던 친구를 찾아본다

– 그런 우의가 우리 가게에 있었나?

장롱과 캐비넷을 열어봐도
창고와 옷걸이를 뒤져봐도
급하게 걸친 우의는 함함해지지 않는다

시간은 빗소리가 요란한 7시
우의보다 거리의 맺힘이 끌려
그 날의 습한 어둠 속으로 뛰어든다

– 돈이 맺힌 우의를 저편에 던지고

끊지 말아야 하지만 끊어버리고 만

사람이기에 공연음란죄로 체포되어도
SNS의 감자가 되어도 상관은 없었다

그리움과 기억과 시작이 종이처럼 젖은
지금은 걸칠 것이 떠오르지 않았으니까
경화의, 그 함함한 우의를 판 곳의 옷을 제외한다면

.

소와 쥐

어릴 때부터 못되었나 보다
집이 순식간에 목욕탕이 되었다

정화조로 내려가는 것들은
털난, 검붉은 각질제거제들

너와의 공존을 묻는 이유는
등짝의 존재 이유와 같을까
발굽의 존재 이유와 같을까

그럼에도 너는 눌렸고
집은 목욕탕이 되었고
주인은 한숨을 쉴 뿐이다

내가 한 것은 뒷걸음질뿐
그것의 의미는 무엇일까
의미라는 건 무엇일 뿐일까

어디에도 답은 존재하지 않을 것만 같다

삶은 계란의 독백

깨진다는 것을 생각한 적은
없었던 것 같다

으깨지기 전에도
물에 들어가기 전에도
으슬으슬한 것만 알았을 뿐
물은 차갑다고만 생각했다

세상은 끈적하거나
굳은 어둠에 지나지 않았다
잘리거나 빠지기만 하는 것은
운이 좋기에 가능한 무엇

탁— 탁— 탁—

누군가에게 보인다는 것은
누군가는 보이지 않는다는 것
나는 어디에 속해 있을까

이
해
영

갑자기 거대한 차원의 이야기를 해볼까요.

예를 들면, 세상의 이야기를 해봅시다. 세상은 나 자신과 나 자신이 경험하는 그밖의 것들로 이루어져 있습니다.

여기서 그밖의 것들이란, 관계, 사건, 현상 등을 말합니다. 얼마나 많고 많은 관계와 건과 현상으로 우리가 울고 웃고 고통에 몸부림치고 감동에 겨워 코끝을 훔치나요? 아마도 무수한 저 별들처럼 셀 수조차 없는 가지각색의 일들이 지금도 이 지구에서 일어나고 있을 것입니다.

그러나 그것들을 바라보고 겪을 수 있는 존재는 이 세상에서 단하나뿐입니다. 바로 나, 바로 당신입니다. 우리는 모두 하나의 창으로서 기능합니다. 그렇기에 가끔은 하나의 장면밖에 영혼에 담지 못할 때가 많습니다.

저는 문학이 사람들로 하여금 세상을 다른 각도로 바라보게 만들어줄 수 있는 제 n의 창이라고 믿습니다. 그런 영광스러운 일에 참여할 수 있는 저는 참 행운아라고도 생각합니다.

오늘, 이 순간, 당신과 닿은 저의 시가 당신께 있어 좋은 풍경을 보여주는 창이 되기를 바랍니다.

부드러운 벽 (feat. A&B)

Disk A
그 부드러운 벽에는 창문이 없었어
나는 네가 입은 스웨터의 코를 세고 있다가
미안하다는 말은 네게 마음이 아니라 단어인 것 같다고
미음과 이와 이응과 아와 니은이 높낮이 없이 굴러다니는
연남의 카페를 맛집 리스트에서 지웠어

Disk B
석면 흩날리는 인더스트리얼 인테리어도 끝물인 거 아니
힙했던 것들은 언젠가 사라져 힙하다는 표현마저도
더울수록 햇볕은 쨍하고 추울수록 공기가 맑아서
좋은 풍경을 보려면 언제나 일정 부분은 희생해야 해
오늘의 풍경이 아름다운 이유

지정접선지점

나는 것은 새이지 그림자가 아니다
생의 절반을 땅에 흔적으로 두고서
부유하는 몸 멀어지며
우리는 내가 되었다

이따금 궁금해한다
이 궤도에서 우리는 어디쯤 있을까
우리 사이에는 무엇까지 있을까
너는 이름 모를 별에 얼룩졌다가
사라질까

냄새도 없고 맛도 없고
춥고 어두운 곳들을 지나며
먼 곳에서 돌아온다면
우리 다시 마주친다면
부둥켜안기 위해
추운 곳이 좋겠다
함께 떠나야겠다
생각하다가

부르는 소리에 돌아보면
모르는 인물들
그저 그런 사건들

넓고 검은 세상
마땅한 보상도 없이
주입되는 외로움

이 항해가 끝나고
수많은 별이 피고 진 후에도
내 그림자는 남아있을까
두고 온 자리에
유령처럼 굳어있을까
저 멀리 주인을 찾아 헤매는 그림자
바탕을 잃고 흩어지는 삶
먼 빛을 바라보며
계속되는

프랜차이즈

밀가루 생선이 제철입니다
돌돌 굴러가는 바퀴가 멈출 때
만질 수 있는 종이를 생선과 교환합니다

물렁물렁하지만 바스락바스락
손에 닿은 온기는 피부를 건너서
안으로 깊숙이
어딘가 들어갈 수 있는 곳으로

길 반대편 상가를 바라봅니다
움직이지 않는 가게들을 바라봅니다

통닭이 보입니다
떡볶이가 보입니다
핫도그가 보입니다
움직이는 사람은 바보입니다

무궁화꽃이 피고 피고 또 피어서
술래가 커지고 커지고 또 커져서

밀가루 생선 다음에 잡히는 사람은 누구일까요

무엇이 또 움직이지 않게 되는 것일까요

싸라기눈 영혼들

당신은 다 타버린 모습을 하고 내게 올 것이다
당신의 마음이 매듭짓지도 못한 지난 운명들에 소진된 탓이다

나는 누구에게나 그랬듯이 내게 남은 것은 없냐고 물을 것이다
내 할당량을 채우기 위해 당신을 이용하려 할 것이다

그렇지만 당신은 이미 모든 것을 쏟아붓고 왔다
누군가를 위해 그렇게 하고서 내게 왔다

흉터만이 피부인 빈 몸을 하나 가지고
싸라기눈처럼 싸늘한 영혼을 하나 가지고

나는 당신을 보며 혀를 찰 것이다
그러다가 혀가 닳고 나면
그제야 내 안을 당신에게 보여줄 것이다
똑같은 싸라기눈 영혼을 하나 보여줄 것이다

우리는 서로를 보며 우두커니 서서 눈물 흘릴 것이다
흐느낌 없이 조용히
침묵 속에서
우리는 서로를 알아갈 것이다

나는 속으로만 타고 타서 겉은 멀쩡한 나의 피부를

그 매끈한 상아색 피부를 반으로 잘라 당신에게 나누어줄 것이
다

그러면 당신은 그것을 망토처럼 껴입고 다소 어색한 얼굴을 하
겠지만은

당분간은 따뜻할 것이다

우리 둘 다 반토막씩만

같은 방식으로 따뜻한 것이다

그런 것이다

누구에게나 묻지만 누구도 대답해주지 않고

낮도 모르는 사람들이 미리 다녀간
섭리에 맞춰 도리를 다하여 살면은
크게 기쁘지는 않더라도
안전한 길에서 아예 벗어날 일은
없을 줄 알고 그럴 줄 알고

죄송합니다
연거푸 고개 숙이면서도
이상할만큼 순조롭게 지나온 시간
이제는 도무지 돌이킬 수도 없이
뒤돌아보면 잇따라 한껏 찍힌
남의 발자국

정녕 이게 맞는 길인지 뒤늦게
누구에게나 묻지만
누구도 대답해주지 않고
꼬이고 꼬인 골목길을 돌고 돌아 남겨진

SOS
우리 영혼을 구하소서

지
유
민

    단순하다 여기면 한없이 지루하고, 촘촘하다 생각하면 숨이 막힐 듯 각박했던 제 삶의 장면 장면을 시로 남겨 보았습니다. 남들에게 제 이야기를 풀어서 털어놓는 재주 따위는 없어서, 문학이라는 가면을 쓰고 아름답게 절망을 풀어내는 게 저는 좀 더 익숙합니다. 농담 삼아 하는 말이지만 역시 전 우울을 글로 풀어내는 게 적성에 맞나 봐요. 그럼에도 시를 쓰는 건 다른 문학 작품보다 몇 배로 힘들게 느껴집니다. 하고픈 말은 많지만 이를 옮기기 위한 최적의 표현을 찾아내는 게 여간 까다로운 일이 아니더라고요. 그럼에도 모든 작품에 동일한 노력을 쏟은 건 아닙니다. 일기를 쓰듯 술술 써서 한 시간 만에 뚝딱 완성한 작품도, 단어 하나하나가 목에 박힌 눈물마냥 거슬려서 한 문장에 한 시간이 걸린 작품도 있습니다. 이전부터 생각해 온 것에 대해 쓰려고 하면 시가 참 쉽게 쓰여지는 것 같습니다. 제 경우에는 종말을 노래하는 게 참 쉽고요, 풋풋한 첫걸음을 묘사하는 게 참으로 어렵게 느껴집니다. 그렇다고 죄다 우중충한 시를 쓰면 좀 그렇잖아요. 시어뿐 아니라 문체나 분위기도 최대한 다양하게 설정하여 다채로운 맛을 내려고 노력했습니다. 보잘것없는 인생에서 우러나온 보잘것없는 이야기이지만 아무쪼록 재밌게 즐기다 가셔요. 끝으로 마음 다 바쳐 사랑했던 백한에게 다시 한 번 제 글을 바칩니다.

보색대비

따뜻한 라떼에 시럽 네 번 추가해 주세요.
녹차와 함께 나온 라떼는 달지 않았다
시럽 두 번만 넣어 달라고 했어.
왜?
오래 보고 싶어서.
휘어지는 눈꼬리에서 쌉쌀한 향이 났다

집에선 혼자 뭐 하고 놀아?
내일은 식물원에 가고 싶어.
식물 키우면 심심하진 않겠다.
주고받는 언어에 녹빛 향이 짙었고
확실하고 불확실한 네 은유가 좋아.
너는 피식 웃으며 내 신발을 발로 찼다

소주 한 병이요, 안주는 다음에 시킬게요.
가스버너가 테이블 중앙에 올라왔다
라면에 잔 두 개 달라고 했어.
왜?
오래 보고 싶어서.
달콤한 첫 잔이 기분 좋게 타들어갔다

다육이 꽃이 폈는데 작고 빨갛더라.
너네 집에 술 좀 남아 있어?
그래서 말 꺼낸 거야.
다홍빛 웃음에 알코올 향이 짙었다
나 운동화 이번에 새로 산 건데.
미안.

흑백 꿈

그를 위해 흘린 것으로 문을 만들어 열면 그를 몰랐던 시절로 돌아갈 수 있단다. 동경하던 시인은 검은 허파로 숨을 두어 번 쉬더니 검은 가래를 뱉고 눈을 감았어. 굳은 눈물에 끈적한 청춘을 발라 문을 쌓아보기로 했어. 무언가 찾고 싶었거든. 찾고 싶은 게 무엇인지는 거기서 생각하기로 했어. 떨어지는 게 비인지 별인지 모를 밤이야. 파티풍선 속에서 오색 보석들이 찰랑거리고 바다 위로 연분홍 달빛이 비치지. 빨갛고 파랗고 하얀 장미들이 넘실대는 동산 위에 서 있는 넌 이름 모를 들꽃의 향을 풍기고 있어. 인사를 건네자 하늘에서 헤엄치던 오로라가 무지갯빛 휘파람을 불어. 시체에 엉킨 곰팡이도 우울도 다 벗어던진 너는 하늘 안에서 춤을 춰. 미끄러지듯 음악이 끝나자 네 그림자에 문득 잡음이 들려. 무심코 불러본 네 이름에 손끝이 베이고 터져 나온 피가 검기만 하지. 형체를 잃은 풍선들 위로 색종이와 꽃잎이 하얗게 흩어지는데 너는 그대로 서서 웃고만 있어. 시선이 닿는 곳마다 잉크가 번져. 아름다운 것들은 왜 이리도 쉽게 녹아 없어지는 걸까. 피 냄새와 흙냄새가 섞인 아찔한 향만 남긴 채 너는 사라지지. 이름을 잃은 장미는 그제야 들꽃이 되었구나. 너무 힘들어지기 전에 다시 오렴. 네 것도 내 것도 아니었던 행복은 무슨 표정을 하고 있었을까. 마지막에 알게 된 건 네 이름 석 자인데 네 이름이 원래 검은색이었던가. 까맣게 썩어버린 너를 안고 우린 영원히 하늘을 날았다. 흘러가는 청춘을 삼키지 못한 죄로 흘러넘친 눈물이 검푸르다.

고장난 시계

높은 곳 우두커니 손안에 있었소.
비추며 흐르며 떨어지며 타오르며,
긴 시간을 늘 곁에 맴돌았다오.

초침 소리 하나 거슬리지 않으려,
입을 막고 숨어도 보았건만,
맴도는 울부짖음이 그리도 컸소.
낡은 손가락으로 손목을 잡아도,
녹이 슨 속을 구태여 감추어도,
기어코 박차고 나와 피를 토해도,
내 사기(死期)를 들어주지 않는구려.

더는 곁에서 울지 않아도 될 것 같소.
정지를 바라기에 울음을 멈추겠소.
그럼에도 그대는 울지 않을 것이니.

마지막 오늘에 누워

내가 오늘을 다시 사는 이유는
머지않아 다가올 내일을 잊고
하루라도 당신을 더 담아두기 위함입니다

투명한 하늘 벚나무 벤치 아래
소박히 차려입은 당신 위로
뽀얀 벚꽃잎, 그리고
하이얀 당신 머리카락
머쓱히 털며 함께 웃던
아름다운 계절 지나

손끝의 온기 가시고
나무 밑 벤치에도 마당의 잡초에도
그리고 당신 입술에도
고요히 한기가 오신 후
흰 입김 내쉬듯 흩어진 당신을
밤새워 안기만 하였습니다

당신도 아들딸도 없는 새봄
연탄 연기 들어찬 방에 몸을 누입니다

회뿌연 연기 속 당신 숨은 것 같아
작년의 벚꽃도 함께 피는 것 같아
숨을 고르고 하얀 어둠을 마주합니다
문득 당신도 날 안아준 것만 같았읍니다

내가 오늘을 살기로 한 이유는
머지않아 다가올 내일 동트면
하늘 저편 당신을 다시 만나기 위함입니다.

손금

반 뼘짜리 마른 손바닥 위에
걸어온 길과 걸어갈 길이 패여 있다
예정된 상실이 두려울 때 주먹을 쥔다

손안에 아직 있을 거라고 생각하니?
흐르던 생명이 정해진 대로 죽어가고
받아들이고 싶지 않은 건 아니고?
이윽고 절망처럼 백골로 흩날린다

예정된 정해진 점지된 바꿀 수 없는
단정端正하지 않은 단정斷定은 오랜 습관이며
무력감 공허감 허탈감 바꿀 수 없는
빈손 위엔 시간이 소복이 쌓여 있었다

곰팡내 나는 운명이 손바닥을 그었나
창백한 손바닥이 독이 퍼지듯 붉어진다
아물 상처라면 수백 번 그어도 좋은데
어지러이 뻗은 샛길마저 내 것이구나
순응에 감염되어 한 생애를 앓을 것만 같다

차
선

시를 쓰면서, 자신을 알아가고 제가 시를 정말 사랑한다는 것을 깨달았습니다. 그 과정은 저에게 큰 성장과 깊은 영감을 안겨주었습니다. 시는 저에게 있어 언어의 마법이자 감정의 표현 수단입니다. 그 속에서 감정들이 자유롭게 펼쳐지며, 단어들은 하나씩 의미를 만들어갑니다. 시를 쓰면서 매 순간마다 자신과 소통하고, 내면의 세계와 대화하며 현실과 상상을 오가는 여행에 빠져들었습니다. 그리고 그 여정에서 저를 발견하였습니다. 이 작은 글귀들이 모여 하나의 시로 완성될 때, 아픔과 기쁨, 사랑과 상실이 어우러지며 새로운 의미를 찾아갑니다.

시를 통해 인간의 복잡한 감정들을 탐구하고 이해하기 시작했습니다. 그리고 이해한 것을 다시 글로 담아내기 위해 노력합니다. 시가 주는 자유로움과 창조적인 가능성은 저에게 큰 용기와 자신감을 심어주었습니다.

검은

한계에 매여 무력해진 존재
마음 속 분노가 가득하다
단단한 껍질이 벗겨져 흐르는 눈물
그 안의 작은 세상이 흔들린다

눈 앞에 보이는 어둠의 그림자
그를 감싸며 점점 커져간다
허물어진 자존심과 비굴한 자화상
현실에 무릎 꿇고 숙인다

세계가 그를 보며 비웃고
그 안의 아픔은 짙게 어두워져 간다
하늘에 솟아오르는 대기처럼 빛나던 꿈들도
현실 앞에서 차디찬 바람처럼 사라진다

포기하지 않기 위해 계속 날개짓을 해봐도
계속 떨어질 뿐이다

모성신화

새끼가 어미의 사랑을 애타게 바라본다
그러나 냉혹함만이 가득한 이 세상에

어미의 젖 한번 물 수 없던 그 아픔은
새끼의 마음을 끌어안지 못해 외로웠다

그럼에도 어미의 사랑을 받고싶어 계속해
달려들지만 돌아오는 건 차가운 시선과 몸짓 뿐

그렇게 어미의 따뜻한 품 안에 안겨보지도 못한채
방금 세상과 마주한 녀석은 다시 세상에 돌아간다

네온사인

홍콩의 거리에 가만히 서서 멍하니 바라봤어요
아날로그와 현대가 어우러진 그 모습에 감탄만 했죠

같은 시간을 살아가면서도 다른 세상들이 만나는 곳
옛날의 향수와 현대의 번잡함이 교차되는 그곳

마치 시간 여행을 하는 듯한 기분에 젖어들었어요
과거와 현재가 섞여 있는 홍콩의 거리에서 새로운 세계를 만났
답니다

그림자처럼 낡은 건물들은 옛 시절의 이야기를 품고 있었고
현대적인 초고층 빌딩들은 미래를 향한 꿈을 담고 있었습니다

홍콩의 거리는 마치 영화처럼 아름다웠어요
시간과 공간이 얽혀있는 그곳에서 저를 발견했습니다

아날로그와 현대 사이에서 망설였지만
막상 그 사이에서 저만의 길을 찾아 나갔답니다
시곗바늘이 천천히 움직일 때마다 함께 움직였어요
아름다운 도시에서 시작될 이야기를 함께 하려 합니다

자취방

자취방, 나만의 작은 세상
고요한 공간, 나만의 자유
작은 창 밖으로 흐르는 풍경
마음 속에 새로운 꿈을 키워

작지만 따뜻한 내 방 안에서
일상의 쓸쓸함을 잠시 잊고
내가 좋아하는 프렌치팝을 틀어놓고
나를 위로해주는 시간을 갖자

콩알만한 주방에서 뜨거운 밀크티 한 잔에
마들렌 한 조각이 더해지면
외롭지 않아도 괜찮아질 거야
나 혼자인 게 아니라는 걸 알게 될거야

자취방, 내가 만든 작은 세계에서
오늘도 나를 위해 웃어볼래
혼자 사는 게 외로울 때도 있지만
나 자신과 함께라면 극복할 수 있어

화천

입영통지서가 날아오기 전까지 몰랐던 그곳
논과 밭만이 가득한 그곳
불행과 기쁨이 함께 녹아있는 그곳

2년 동안, 얼마나 많은 일들이 있었는지
고개를 들어 생각하면 가슴 벅차오른다

영화처럼 총소리와 함성이 울려퍼지고
전우들과의 끈끈한 우애와 굳은 결의가 떠오른다

소등 시간에도 밝게 빛나던 동기들의 웃음소리
고된 훈련 후에 달콤한 대화를 나눌 때의 기쁨

하지만 그림자처럼 따라다니는 아픔도 있다
가족들과 떨어져 보내야 했던 외로움과 그리움

여전히 존재하는 부조리와 폐쇄적인 환경
당당히 걷던 발걸음도 힘이 드는 순간들

그런 어려움을 이겨낸 용기와 인내력
그 속에서 만난 소중한 인연들

군대는 선물이자 시련이었다
일곱 번 넘어져도 여덟 번 일어서게 해주는

더 이상의 밑바닥은 없을 거라는 희망을 주는
진정한 남자가 되었다는 용기를 주는

도약

깊게 박힌 과거의 흔적이 내게 다가와
무거운 후회의 감정을 안겨주었지만
오늘도 미래를 향해 달려간다

푸른 하늘 아래, 저 태양이 비추는 길에서
내 발걸음은 믿음과 희망으로 가득하다
과거의 후회들은 어제로 묻어버리고
미래의 눈을 돌리며 오늘을 살아간다

아스팔트 속 피어난 꽃처럼
내 속에 있는 작은 불꽃들이 깜짝 빛나고
저 넓은 바다 위에 펼쳐진 햇빛처럼
앞길은 창조와 영광으로 가득하다

과거는 그리운 추억으로 남겨두고
지금 이 순간, 새로운 시작의 주인공이 된다
후회보다는 배움으로 지혜를 얻고
오늘을 열린 마음으로 받아들여 나아간다

세월은 멈추지 않고 흐르지만
의지와 열정은 변하지 않아

미래를 위한 선택과 결단이 오늘을 만든다면
불꽃처럼 번져갈 용기와 역사가 되리라

한
세
희

아무 일도 일어나지 않으려면
아무런 노력이 필요하다는 것

별 것도 아닌 일이,
잘 자고 잘 먹고 잘 웃는 일이
살리는 짓일 수도 있다는 것

누구 하나 속삭여 준 적 없어
훔쳐 먹은 이야기를 담았습니다

새싹 키우기

1. 씨앗

헛헛하다. 어디에서 오는 건지 알 수가 없다. 알려고 하는 순간 정말로 망가질 것만 같다. 일어나 시간을 확인한다. 이것 밖에 못 잤다니. 안쓰럽다. 날씨를 확인하고는 창문을 연다. 미세먼지 보통, 시작이 좋다.

2. 발아

양치를 하러 화장실에 들어갔다가 세수까지 마치고 나왔다. 역시 씻는 건 미루지 말아야 한다. 잘 했다 칭찬했다. 봄이 멀지 않다는 게 느껴진다. 햇살을 맞으며 걸으면 비타민D 말고도 무언가 채워지는 기분이다.

3. 새싹

한 해가 끝이 났다. 언제 끝나려나 싶었는데 막상 보내려니 조금 더 꼭 쥐고 있을 걸, 맨손을 비비적댄다. 더 괜찮은 순간을 세길 수 있었을 텐데, 실 같은 미련을 감아 묻는다. 묻어두면 뭐든지 자라나는 법이니까.

피할 수 없다면

1.

꾸준하기
좋다 마는 거 말고 계속하기
힘이 필요하다
알면서 방치하지 않기

2.

인연과 반복
주어진 일과 해야 할 일
무거운 몸과 가벼운 통증
모른 척 하지 말자
피할 수 없다면 맞이해야지

3.

재미난 인생이다
이런 서프라이즈를 주다니!
대단히 고맙습니다
그럼에도 기꺼이 살아가겠습니다

읽는 사람은 자라서

책장을 넘기면
남의 이야기에서 나를 발견한다

여기저기서 나를 주워 담다 보면
키가 커지고 살집이 붙을 것 같지만

쪼그라든다
발가벗겨진다

읽는 사람은 자라서 쓰는 이가 된다
글은 가득 차있을 때보다
한 조각 도둑맞았을 때 태어난다

힘

일요일 아침
늦잠은 오전까지만 허용이다

날씨를 확인하고는 간단히 스트레칭을 한다
미세먼지가 나쁘지 않으면
창문을 열어 환기를 시킨다

침실을 벗어나 화장실로 향한다
가벼운 양치와 세수를 마친다
화장실 거울을 보며 생각한다

나를 깨우고 씻기는 일은
스스로를 잃어버리지 않기 위한 일이라고

그러니 힘들어도 몸을 일으켜
나를 지키는 일에 동참해야 한다고

그러니 너는 그렇게

가지 말라는 길은
가서는 안 되는 길이 아니야
너만이 갈 수 있는 길인거야

그 길이 네게 준 꽃과 바람
나비와 무지개를 잊지 마

너를 적신 안개와 소나기를
너를 괴롭힌 벌레와 나무꾼을 잊지 마
그들은 예쁜 것을 가만두지 못하거든

그렇게 너는
아름다운 사람임을 잊지 마

그리고 걱정하지 마
너는 영리한 아이니까
흙탕물을 밟지 않을 수 있을 거야
혹여 그것이 닿아도
번지지 않을 테니 안심 하렴

싫은 것이 묻었을 땐

닦아내면 그만이니
씻겨 없어질 것들에
스스로를 물들이지 않으면 돼

너는 그저 아주 소중히
아기 다루듯 자신을 돌보면 돼

그러니 너는 너를 가꾸도록 해
나는 너를 아낄 테니

허
민

인생에서 가장 쉬우면서도 어려운 것이 만남과 이별이었습니다.

가족과 같이 태어나면서 필연적으로 만나야 했던 인연도 있었고 학교, 직장 등 사회생활을 통해 이어졌던 이들도 있었습니다. 때로는 이별을 하고 싶었던 순간도 있었지만 붙잡고 싶었던 시간도 있었습니다. 그러나 돌이켜보면 모두 제 뜻대로되지 않았던 것이 바로 이 인연들이었습니다.

그런 인연이란 주제로, 만남과 이별이란 소재로 타인과의 관계, 나 자신과의 관계 등의 마음을 글로 적었습니다. 웃음도 지었고 눈물도 흘렸으며 화가 나기도 했습니다. 그런 감정이 이 시들을 통해 당신에게 전달 될 수 있다면 좋겠어요.

바람

꽃이 피었다
어둠속에서
빛 한줄기 없어
깊은 한숨조차 보이지 않는 곳에 숨어

무질서와 공허함 그 어중간한 사이
또 다시 피어나는 마음의 꽃
세 번의 짓밟힘에 간신히 숨을 쉬지만
어쩌면 쉬지 않는 편이 행복에 가까울지도

쓰라린 마음 추수리고자
눈물을 약 대신 발랐지만
더욱 진물은 상처는
곪아터진 누룽지처럼 딱딱히 굳는다

얼마나 더 쓰라리고 아파야
꽃은 질까
편안히 사라지고 싶은 간절함을
당신은 알까

꼰대

아니
세상을 왜 그렇게 비꼰대

아니
사람을 왜 그렇게 비꼰대

아니
인생을 왜 그렇게 비꼰대

아니
나를 왜 그렇게 비꼰대

물어나 보자
왜 그렇게 꼬였는지

언젠가 다 죽을 꼰대
왜 그렇게 마음이 꼬여있대

샤워

떨어지는 빗물에
몸을 씻는데
더러운 바닥이 눈에 밟혔다

씻다 말고 집어든 오래된 칫솔하나
구부정히 주저앉아 바닥을 문지른다
더러운 곰팡이 자식아 사라져라

마치 더러운 내 마음 같아
온힘을 다해 박박 문지르지만
지워지지 않는 검은 얼룩

기도하듯 양손을 모아
죽을 힘을 다했지만
씻기질 않는다

눈물로 씻어야 지워질까
피눈물을 흘려야 사라질까
그저 흐르는 빗물에 나를 씻어낸다

출근

연착된 지하철
시간은 흐르고
내 애는 타기만 한다

겨우 도착한 사무실
건조한 공기에
내 입술은 마르기만 한다

버벅이는 컴퓨터
또 다시 시작된 재부팅에
내 혈압은 오르기만 한다

가고 싶다
나는 가고 싶다
나는 집에 가고만 싶다

출근한지 30분 남짓
목을 죄여오는 이곳에서
오늘도 탈출을 꿈꾸기만 한다

괴물

눈을 떠보니
어느새 나는 괴물이 되어있었다
부서진 의자와 떨어진 형광등
울고 있는 이들의 비명소리

눈을 감으니
밤새 나는 영웅이 되어 있었다
부딪히는 유리잔과 기울어진 소주병
웃고 있는 이들의 환호소리

찰나의 순간
내 안의 괴물이 깨어나 나를 집어삼킬 때
영웅이 되고 싶었던 나의 과거가
현실에 무너져 쓰러진다

사과의 이유도
변명의 표현도
상처의 아픔도
눈물의 슬픔도

한
연
희

    시창작 수업을 들으며, 시를 쓴다는 건 탈피하는 것과 같다는 생각이 들었습니다. 온전히 살아가기 위해 내 몸에 둘러 온 모든 보호막을 지워내고 무방비 상태에 돌입하는 것. 그 순간의 두려움이 시를 어렵게 만드는 것 같습니다. 최대한 나를 버린다는 마음으로 썼습니다.

정크아트

출정의 시간입니다. 거대한 환영에 속아 뒤쳐졌던 쓰레기 행렬. 비닐철장에 머물며 버무려진 죽은 것. 산 것. 아름다운 것.

다시 제 모습을 찾아갑니다. 장난감 병정의 배를 꾹 누르면 튀어나오는 소리. 와글거리는 유충의 다리. 기다란 머리카락으로 감싸 전장으로 보냅니다. 기다림은 언제 이만치 길어진 걸까요. 종량제 봉투 뜯다 간지럼 참지 못해도 이제는 어쩔 수 없지요.

다이얼을 돌리면 움직이는 작은 새. 눈알 한쪽이 없는 녀석. 깃털은 방향. 병정이 시위를 당기면 새의 부리는 정확하게 날아갑니다. 일직선으로 곧게 날아갑니다. 부리에는 반짝이는 머리카락. 잊지 않고 달아 놓았습니다. 하늘을 가득 채운 금빛 자취. 새의 군무는 춤이고 사격입니다.

평생을 이용 당하다가 버려졌어요
먹다가 남겨졌어요
제 눈알만 뽑아선 다른 인형에 붙였어요

부리가 소리를 찾아 박힙니다. 전장의 땅바닥에서 솟아나는 손가락들. 매복의 냄새. 매운 물대포. 매운 과자부스러기. 젖은 머리카락에 스며들면 흩어지는 행렬.

애꾸눈 장난감 병정. 날개 부러진 새.
오늘도 머리카락을 기릅니다.